CANTO GREGORIANO
The Essential Collection of Gregorian Chant

• • •

Novello Publishing Limited
8/9 Frith Street, London W1V 5TZ.

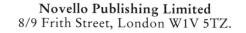

Novello Publishing Limited
8/9 Frith Street, London W1V 5TZ.

Published worldwide by Sintonia, S. A. Ediciones Musicales (Spain).
Publication authorised by license to Novello & Company Limited for worldwide
except Spanish and Portuguese speaking territories.

◆   ◆   ◆

Exclusive distributors:
Music Sales Limited, Newmarket Road, Bury St. Edmunds, Suffolk IP33 3YB.

Order No. NOV072461
ISBN 0-85360-469-X

THIS volume contains a selection of pieces of Gregorian chant which were released by Hispavox, initially on LP, and subsequently on CD and other media. Gregorian chant [*or plainchant*] is the monophonic vocal music of the Christian religion, and has occupied a central place in the worship of the Catholic Church. It was as a result of the review of music in Christendom carried out under the auspices of SAINT GREGORY THE GREAT [*Pope from 590-604*] that the chant became widely known as 'Gregorian'. When Charlemagne became Emperor in the eighth century AD, his advisors recommended that he lay claim to the Roman chant and use it as a means of unifying the religious worship of his vast empire. Thus began a determined campaign to impose it throughout the West, where there were already flourishing a rich variety of liturgical and musical traditions.

◆　◆　◆

This Roman chant, like that of other churches, had evolved through a succession of master singers or cantors reciting psalms in services and embellishing their performances with various kinds of ornamentation. By the sixth century AD, an extraordinarily rich musical repertoire had developed, which relied on a strong oral tradition, passing it down from generation to generation. In order to establish this musical repertoire further afield, it became necessary to transcribe it, and some of the earliest manuscripts date from this time. These are notated in a graphic system which we now know as neumatic notation. To distinguish it from, and elevate it above local religious music, Charlemagne and his authorities let it be known that the Roman chant had been composed by SAINT GREGORY THE GREAT himself in moments of divine inspiration. Certain tenth-century sources reproduce images of a dove perched on the shoulder of SAINT GREGORY, who is whispering to the Pope. In turn, he communicates the divine message to a scribe seated at a desk.

◆　◆　◆

From its obscure beginnings until the Second Vatican Council of the 1960s, Gregorian chant has reverberated through Christendom without interruption. The breadth of its influence in Western society has been staggering; indeed, many of the technical elements which are used today in musical composition and interpretation, have their distant roots in this repertoire - notes, staves, scales, modes, rhythm, phrasing etc.

. . .

THE complexity of the history surrounding the evolution of Gregorian chant has inevitably led to a great diversity in approaching the interpretation of the music. Every choir has performed the music in its own way. In the eighteenth century, for example, Jerónimo Romero, choir master of Toledo Cathedral, made his own arrangements of the chant for the members of his choir to perform. In contrast, during the nineteenth century, the monks of Solemnes insisted on basing their version of the chants on the oldest extant manuscripts. Also from Solemnes came Dom Eugenio Cardine's interesting musical semiology, carried out to give clearer guidelines for the interpretation of Gregorian chant. Far from insisting on the purely historical approach to the interpretation of Gregorian chant encouraged by Dom Guéranger [*founder of the Abbey of Solemnes*], today's musicologists take a more practical stance; they are prepared to search for the authentic voice of each period in which Gregorian chant flourished - either through the continuity of a given tradition, or through the influence of different choir masters. These include the manuscripts of San Galo, the work of the fourteenth-century antiphoners of the Huelgas, as well as that of Tomás Luis de Victoria for Holy Week.

. . .

The music in this volume is edited by me, Ismael Fernández, and Francisco Javier Lara, and represents our personal response and contribution to the continuing evolution of Gregorian chant. Like so many other musicians over previous centuries, we have prepared our own arrangements of these ancient works, so that the Choir of the Benedictine Monks of Santo Domingo de Silos can sing the liturgy according to our own style of performance. We have not sought to reproduce the chant of Juan the Archcantor, whose voice resonated through the Basilica of Letrán in the days of SAINT GREGORY THE GREAT, nor that of Notkero of San Galo, the master with a stutter.

When I took over the Choir of Silos, having completed four years' study at the Abbey of Solemnes, I made significant changes to its choral technique and introduced a series of substantial modifications to the music, particularly in relation to the interpretation of the rhythmic structures. In my opinion, the Neums of ancient notation, or square notation, do not allow the singer sufficient musical freedom to touch twentieth-century sensibilities. Therefore, the monks have learned to sing the pieces arranged in this volume, with measured rhythm.

◆ ◆ ◆

I directed the Choir of Silos for many years, work which has since been continued by Francisco Javier Lara. Over this period, the enormous interest in the Choir's work has led us to offer the public various recordings as well as the present volume of music. The tessitura, the rhythmic impetus, the blending of the tone, the way in which the syllables are divided, the ebb and flow of the music, the phrasing etc. all are influenced by our personal understanding of the music. All those with a scholarly or practical interest in music will be pleased to know what lies behind the Choir's recordings of the 1960s and 70s. Without the fusion of the various elements mentioned above, and some secure performance guidelines, I believe that the delicate strands of this Gregorian tapestry would have little significance for the twentieth-century audience.

ISMAEL FERNÁNDEZ DE LA CUESTA

THE MARKINGS ABOVE THE MUSIC INDICATE THE WAY THE PHRASING SHOULD EBB AND FLOW. IT IS DESIGNED TO HELP THE SINGER UNDERSTAND THE SHAPE AND DIRECTION OF THE MUSIC AND TO HELP WITH DECISIONS CONCERNING BREATHING.

◆ ◆ ◆

PUER NATUS EST
Introito

Arr.: ISMAEL FERNÁNDEZ DE LA CUESTA

Can - ta - te Domino can - ti-cum no - vum: *

Qui - a mi - ra - bi - li - a fe - cit.

Glo - ri - a Patri et Filio et Spi - ri - tu - i San - cto: *

Si - cut erat in principio et nunc et sem - per,

et in saecula sae - cu - lo - rum. A - men.

Pu - er na - tus est ...

GENUIT PUERPERA REGEM

Antífonia y Salmo 99

Arr.: ISMAEL FERNÁNDEZ DE LA CUESTA

MODO II

Ge - nu - it Pu - er - pe - ra Re - gem, cu - i

no - men ae - ter - num et gau - di - a

ma - tris ha - bens cum vir - gi - ni -

ta - tis ho - no - rem: nec pri - mam si - mi - lem

vi - sa est, nec ha - be - re

se - quen - tem. Al - le - lu - ia.

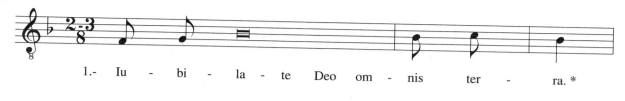

1.- Iu – bi – la – te Deo om – nis ter – ra. *

Servite Domino in lae – ti – ti – a.

2.- Introite in conspe – ctu e – ius * In exul – ta – ti – o – ne.
3.- Scitote quoniam Dominus ipse est De – us * Ipse fecit nos et non ip – si nos.

4.- Populus eius et oves pascuae e – ius * (4) introite portas eius in confes –
5.- Laudate nomen eius: quoniam suavis est Domi – nus * (5) in aeternum mi-sericordi –

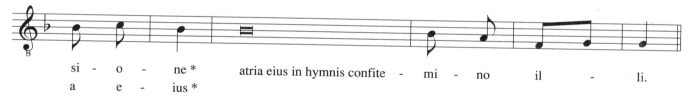

si – o – ne * atria eius in hymnis confite – mi – no il – li.
a e – ius *

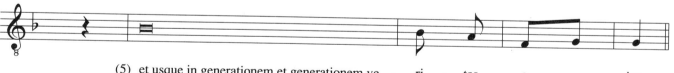

(5) et usque in generationem et generationem ve – ri – tas e – ius.

Gloria Patri et Fi – li – o * et Spiri – tu – i San – cto.

Sicut erat in principio et nunc et sem – per * Et in saecula saecu – lo – rum. A – men.

Genuit ...

9

AVE MUNDI SPES MARIA

Secuencia

Arr.: ISMAEL FERNÁNDEZ DE LA CUESTA

MODOS VII-VIII

A - ve mun - di spes Ma - ri - a, a - ve mi -
A - ve Vir - go sin - gu - la - ris, quae per ru -

tis a - ve pi - a, a - ve ple - na gra - ti - a.
bum de - sig - na - ris, non pas - sum in - cen - di - a.

A - ve ro - sa spe - ci - o - sa a - ve Je - sse vir - gu - la.
Cu - ius fru - ctus nos - tri lu - ctus re - la - xa - vit vin - cu - la.

A - ve cu - jus vis - ce - ra con - tra mor - tis
A - ve ca - rens si - mi - li mun - do di - u

foe - de - ra e - di - de - runt Fi - li - um.
fle - bi - li re - pa - ra - sti Gau - di - um.

A - ve vir - gi - num lu - cer - na, per quam ful - sit
A - ve vir - go de qua na - sci, et de cu - ius

lux su - per - na his quos um - bra te - nu - it.
la - cte pa - sci rex cae - lo - rum vo - lu - it.

A - ve gem - ma cae - li lu - mi - na - ri - um.
A - ve San - cti Spi - ri - tus sa - cra - ri - um.

O quam mi - ra - bi - lis et quam lau - da - bi - lis haec est vir - gi - ni - tas.
In qua per Spi - ri - tum fac - ta Pa - ra - cli - tum ful - sit foe - cun - di - tas.

O quam san - cta, quam se - re - na, quam be - nig - na,
Per quam ser - vi - tus fi - ni - tur, porta cae - li

quam a - moe - na. Es - se Vir - go cre - di - tur.
a - pe - ri - tur. Et li - ber - tas red - di - tur.

O cas - ti - ta - tis li - li - um tu - um pre -
Ne nos pro nos - tro vi - ti - o in fle - bi -

ca - re Fi - li - um qui sa - lus est hu - mi - li - um:
li - iu - di - ci - o sub - ii - ciat sup - pli - ci - o.

Sed nos tu - a sanc - ta pre - ce mun - dans a pec - ca - ti fae - ce.
Col - lo - cet in lu - cis do - mo a - men di - cat om - nis ho - mo.

OCULI OMNIUM

Responsorio Gradual

Arr.: ISMAEL FERNÁNDEZ DE LA CUESTA

A - pe -

ris tu ma -

num tu - am:

et im - ples

om - ne a - ni - mal

be - ne - di - cti - o - ne.

13

VENI CREATOR SPIRITUS

Himno

Arr.: ISMAEL FERNÁNDEZ DE LA CUESTA

MODO VIII

1. Ve - ni, Cre - a - tor Spi - ri - tus, men-tes tu - o - rum vi - si - ta,

im - ple su - per - na gra - ti - a Quae tu cre - a - sti pe - cto - ra.

2. Qui paraclitus diceris
   Fons vivus, ignis, caritas,

   Donum Dei Altissimi
   Et spiritalis unctio.

3. Tu septiformis munere,
   Tu rite promissum Patris,

   Dextrae Dei tu digitus,
   Sermone ditans guttura.

4. Accende lumen sensibus,
   Infirma nostri corporis

   Infunde amorem cordibus,
   Virtute firmans perpeti.

5. Hostem repellas longius
   Ductore sic te praevio

   Pacemque dones protinus:
   Vitemus omne noxium

6. Per te sciamus da Patrem
   Te utriusque Spiritum

   Noscamus atque Filium
   Credamus omni tempore.

7. Gloria Patri Domino
   Surrexit, ac Paraclito,

   Natoque, qui a mortuis
   in saeculorum saecula.

A - men.

ALLELUIA BEATUS VIR QUI SUFFERT

Arr.: ISMAEL FERNÁNDEZ DE LA CUESTA

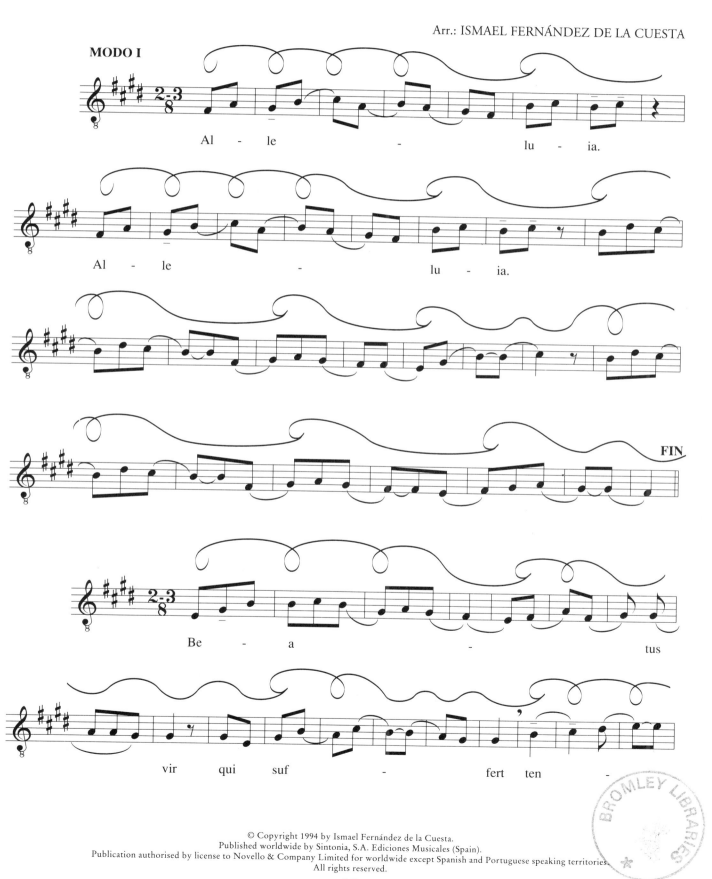

MODO I

Al - le - lu - ia.

Al - le - lu - ia.

FIN

Be - a - tus

vir qui suf - fert ten -

15

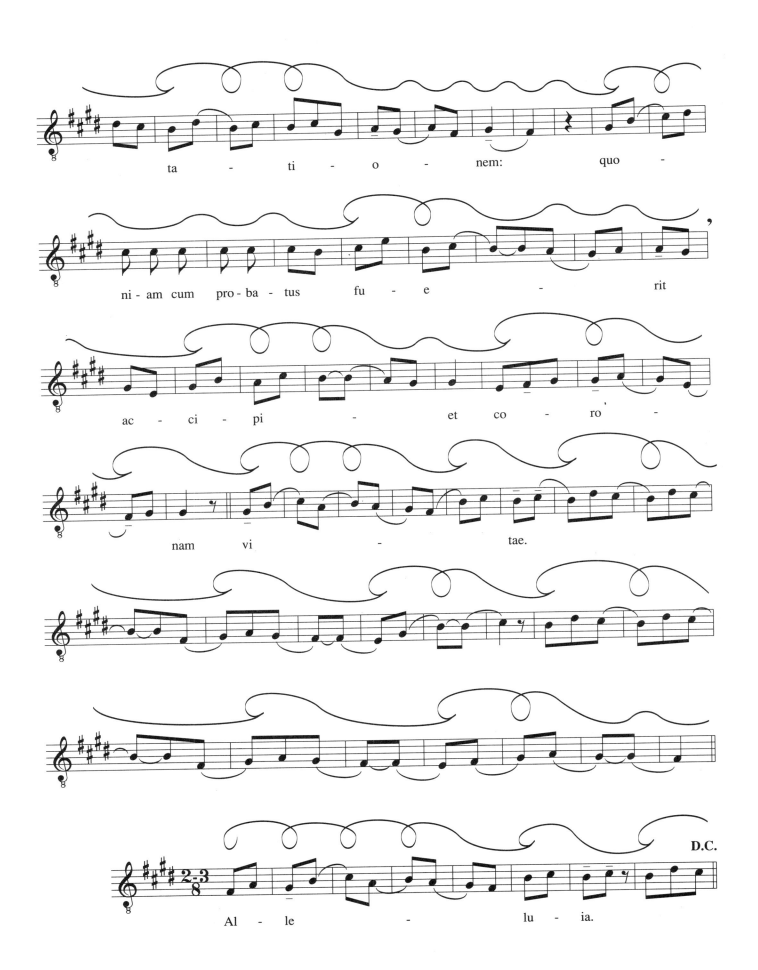

ta - ti - o - nem: quo -

ni - am cum pro - ba - tus fu - e - rit

ac - ci - pi - et co - ro -

nam vi - tae.

Al - le - lu - ia.

OS IUSTI
Responsorio Gradual

Arr.: ISMAEL FERNÁNDEZ DE LA CUESTA

MODO I

Os iu - sti me - di - ta - bi - tur sa - pi - en - ti - am et lin - gua e - ius lo - que - tur iu - di - ci - um.

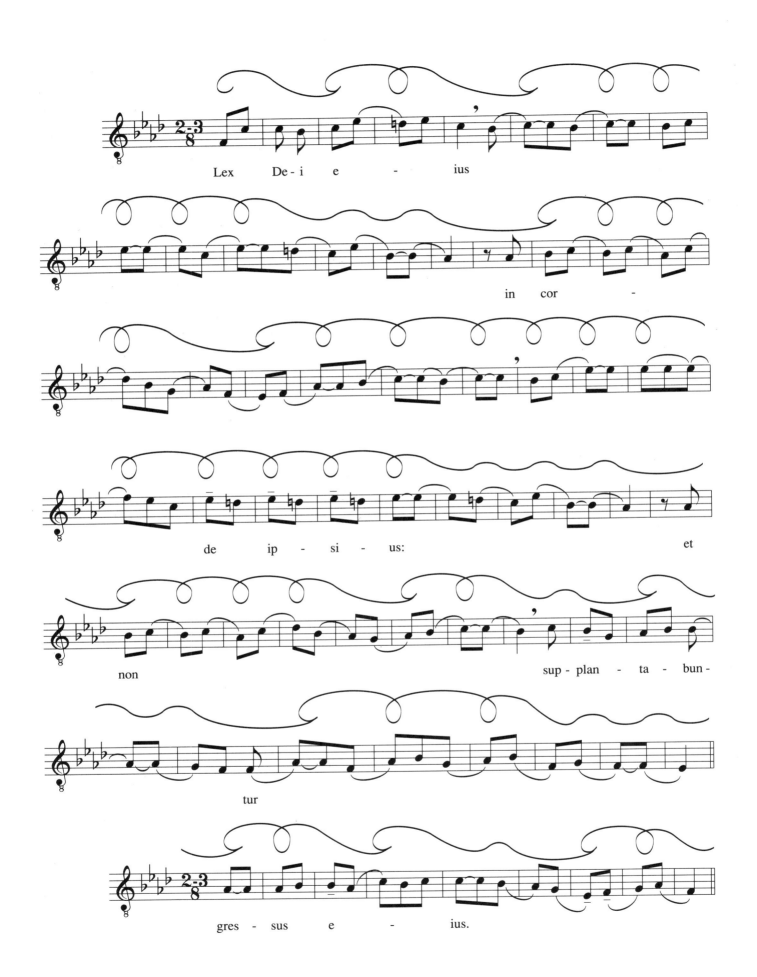

Lex De - i e - ius

in cor -

de ip - si - us: et

non sup - plan - ta - bun -

tur

gres - sus e - ius.

SPIRITUS DOMINI

Introito

Arr.: ISMAEL FERNÁNDEZ DE LA CUESTA

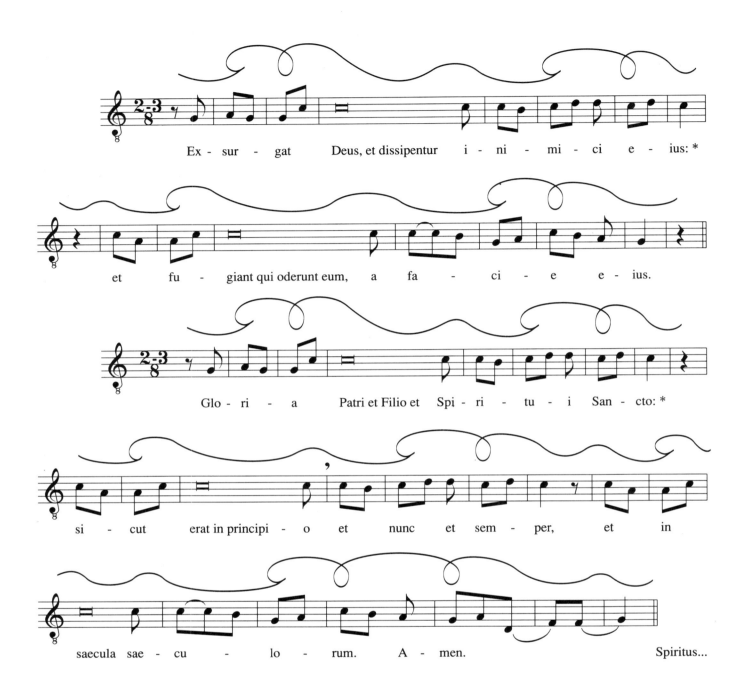

Ex - sur - gat Deus, et dissipentur i - ni - mi - ci e - ius: *

et fu - giant qui oderunt eum, a fa - ci - e e - ius.

Glo - ri - a Patri et Filio et Spi - ri - tu - i San - cto: *

si - cut erat in principi - o et nunc et sem - per, et in

saecula sae - cu - lo - rum. A - men. Spiritus...

KYRIE FONS BONITATIS

Tropo

Arr.: ISMAEL FERNÁNDEZ DE LA CUESTA

MODO III

Ky - ri - e, fons bo - ni - ta - tis, Pa - ter in - ge - ni -
Ky - ri - e, qui pa - ti Na - tum mun - di pro cri - mi -
Ky - ri - e, qui sep - ti - for - mis dans do - na Pneu - ma -

te, a quo bo - na cun - cta pro - ce - dunt, e - le - i - son.
ne, ip - sum ut sal - va - ret mis - si - ti, e - le - i - son.
tis, a quo cae - lum ter - ra re - plen - tur, e - le - i - son.

Chri - ste u - ni - ce De - i Pa - tris Ge - ni - te, quem de Vir - gi - ne na - sci - tu -
Chri - ste ha - gi - e cae - li com - pos re - gi - ae, me - los glo - ri - ae cu - i sem -
Chri - ste cae - li - tus ad - sis no - stris pre - ci - bus, pro - nis men - ti - bus quem in ter -

rum mun - do mi - ri - fi - ce san - cti pre - di - xe - runt pro - phe - tae, e - le - i - son.
per ad - stans pro nu - mi - ne an - ge - lo - rum de - can - tat a - pex, e - le - i - son.
ris de - vo - te co - li - mus, ad te pi - e Je - su cla - man - tes, e - le - i - son.

Ky - ri - e, Spi - ri - tus al - me, co - hae - rens Pa - tri, Na - to -
Ky - ri - e, qui bap - ti - za - to in Ior - da - nis un - da Chri -
Ky - ri - e, ig - nis di - vi - ne, pe - cto - ra nos - tra suc - cen -

que, u - ni - us u - si - ae con - si - sten - do, flans ab u - tro - que, e - le - i - son.
sto, ef - ful - gens spe - ci - e co - lum - bi - na ap - pa - ru - i - sti, e - le - i - son.
de ut di - gne pa - ri - ter pro - cla - ma - re pos - si - mus sem - per, e - le - i - son.

LAETATUS SUM
Responsorio Gradual

Arr.: ISMAEL FERNÁNDEZ DE LA CUESTA

MODO VII

Lae - ta - tus sum in his quae di - cta sunt mi - hi: in do - mum Do - mi - ni i - bi - mus.

Fi - at pax in vir - tu - te tu - a, et a -

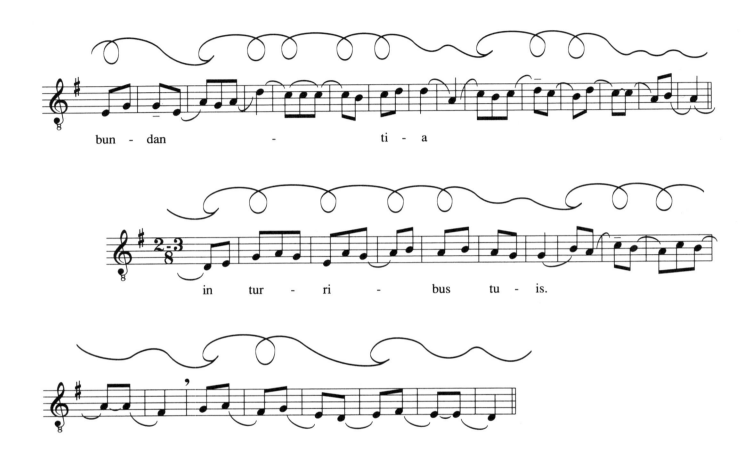

bun - dan - ti - a

in tur - ri - bus tu - is.

A SOLIS ORTUS CARDINE

Himno

Arr.: ISMAEL FERNÁNDEZ DE LA CUESTA

MODO III

A so-lis or-tus car-di-ne ad us-que ter-rae li-mi-tem, Chri-stum ca-na-mus Prin-ci-pem, Na-tum Ma-ri-a Vir-gi-ne.

Beatus Auctor saeculi
Servile corpus induit:
Ut carne carnem liberans,
Ne perderet quos condidit.

Castae Parentis viscera
Caelestis intrat gratia:
Venter Puellae baiulat
Secreta, quae non noverat.

Domus pudici pectoris
Templum repente fit Dei:
Intacta nesciens virum
Verbo concepit Filium.

Enixa est Puerpera
Quem Gabriel praedixerat,

Quem matris alvo gestiens
Clausus Ioannes senserat.

Foeno iacere pertulit:
Praesepe non abhorruit:
Parvoque lacte pastus est
Per quem nec ales esurit.

Gaudet chorus caelestium,
Et Angeli canunt Deo:
Palamque fit pastoribus
Pastor, Creator omnium.

Gloria tibi Domine,
Qui natus es de Virgine,
Cum Patre et Sancto Spiritu,
In sempiterna saecula.

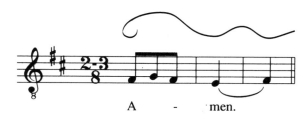

A - men.

CHRISTUS FACTUS EST
Responsorio Gradual

Arr.: ISMAEL FERNÁNDEZ DE LA CUESTA

lum

et de - dit il - li

no - men,

quod est su - per om - ne

no - men.

MANDATUM NOVUM DO VOBIS

Antífona y Salmo 132

Arr.: ISMAEL FERNÁNDEZ DE LA CUESTA

MODO III

Man - da - tum no - vum do vo - bis ut di - li -
ga - tis in - vi - cem si - cut di - le - xi vos, di -
cit - Do - mi - nus.

Salmo 132

Ec - ce quam bonum et quam ju - cun - dum *
habitare fra - tres in u - num.

Ecce quam bonum et quam jucundum *
habitare fratres in unum!

Sicut unguentum in capite,*
quod descendit in barbam, barbam Aaron.

Quod descendit in oram vestimenti ejus: *
sicut ros Hermon, qui descendit in montem Sion.

Quoniam illic mandavit Dominus benedictionem, *
et vitam usque in saeculum.

Man - da - tum no - vum do vo - bis...

MEDIA VITA IN MORTE SUMUS

Responsorio

Arr.: ISMAEL FERNÁNDEZ DE LA CUESTA

FIN

va - tor, a - ma - rae mor - ti ne - tra - das nos.

In te spe - ra - ve -

runt pa - tres no - stri; spe - ra - ve - runt et

li - be - ra - sti e - os.

* San - cte

Ad te cla - ma - ve - runt

pa - tres no - stri; cla - ma - ve - runt

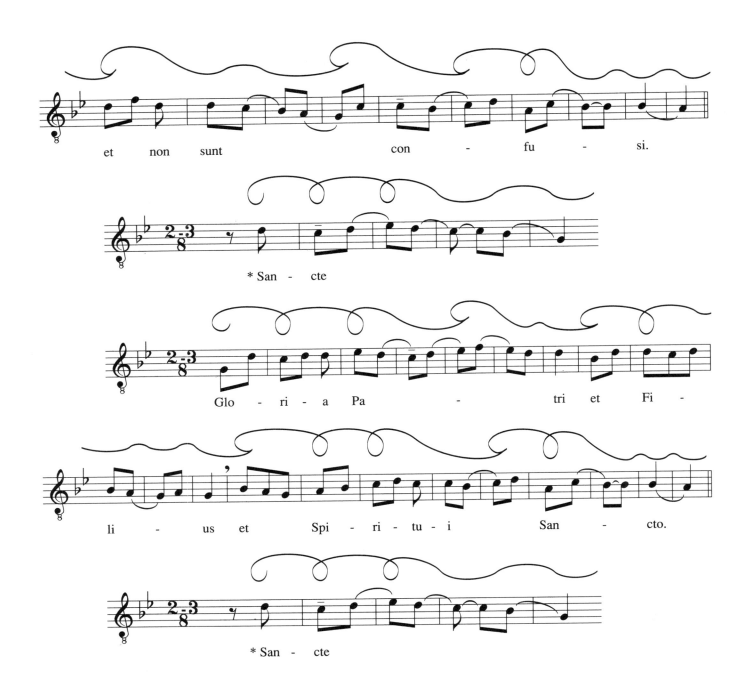

et non sunt   con - fu - si.

* San - cte

Glo - ri - a Pa -   tri et Fi -

li - us et Spi - ri - tu - i   San - cto.

* San - cte

NOS AUTEM
Introito

Arr.: F. JAVIER LARA

MODO IV

Nos au - tem glo - ri-a - ri o - por -

tet, in cru-ce Do - mi - ni no-stri Ie - su Chri -

sti: in quo est sa - lus, vi - ta, et re - sur-re - cti - o

no - stra: per quem sal - va-ti, et li-be - ra - ti

FIN

su - mus. **Ps.** De - us mi - se - re - a-tur no-stri et be - ne -

di - cat no - bis il - lu - mi-net vul-tum su - um su - per nos et mi -

se - re - a - tur no- stri. Nos ...

PANGE LINGUA
Himno

Arr.: F. JAVIER LARA

MODO I

Pan - ge, lin - gua, glo - ri - o - si prae - li - um ce - rta - mi - nis,

et su - per Cru - cis tro - phae - o dic tri - um - phum no - bi - lem:

qua - li - ter Red - dem - ptor or - bis im - mo - la - tus vi - ce - rit.

De parentis protoplasti fraude factor condolens,
quando pomi noxialis morte morsu corruit,
ipse lignum tunc notavit, damna ligni ut solveret.

Hoc opus nostrae salutis ordo depoposcerat,
multiformis perditoris arte ut artem falleret,
et medelam ferret inde, hostis unde laeserat.

Aequa Patri Filioque, inclito Paraclito,
sempiterna sit beatae Trinitati gloria,
cuius alma nos redemit atque servat gratia. Amen.

IACTA COGITATUM TUUM

Gradual

Arr.: F. JAVIER LARA

MODO VII

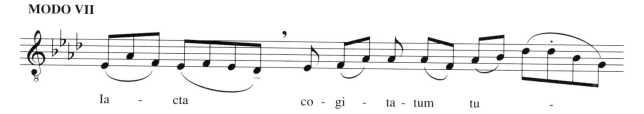

Ia - cta co - gi - ta - tum tu -

um in Do - mi - no, et ip - se te

e - nu -

FIN

tri - et.

V/. Dum cla - ma - rem   ad   Do - mi - num,

ex - au - di - vit

vo - cem me - am ab his

qui ap - pro - pin - quant mi –

hi.

Iacta ... **hasta FIN**

GLORIA XV

Arr.: F. JAVIER LARA

MODO IV

Do - mi - ne De - us, A - gnus De - i, Fi - li - us Pa - tris.

Qui tol - lis pec - ca - ta mun - di, mi - se - re - re no - bis.

Qui tol - lis pec - ca - ta mun - di, sus - ci - pe de - pre - ca - ti - o - nem no - stram.

Qui se - des ad dex - te - ram Pa - tris, mi - se - re - re no - bis.

Quo - ni - am tu so - lus san - ctus. Tu so - lus Do - mi - nus.

Tu so - lus Al - tis - si - mus, Ie - su Chri - ste.

Cum San - cto Spi - ri - tu, in glo - ri - a De - i Pa - tris.

A - men.

VENI SANCTE SPIRITUS
Secuencia

Arr.: F. JAVIER LARA

MODO I

Ve - ni San-cte Spi - ri-tus, Et e-mit-te cae - li-tus Lu-cis tu-ae

ra - di-um. Ve - ni pa-ter pau - pe-rum, Ve - ni da-tor mu - ne-rum, Ve - ni

lu - men cor - di-um. Con-so-la-tor o - pti-me, Dul-cis ho - spes a - ni-mae,

Dul - ce re - fri-ge - ri-um. In la-bo-re re - qui-es, In ae-stu tem-pe - ri-es,

In fle - tu so - la - ti-um. O lux be - a-tis - si-ma, Re-ple cor-dis in - ti-ma

tu - o-rum fi-de - li-um. Si-ne tu - o nu - mi-ne, Ni-hil est in ho-mi-ne,

Ni - hil est in-no - xi-um. La-va quod est sor - di-dum, Ri-ga quod est

a - ri-dum, sa-na quod est sau-ci-um. Fle-cte quod est ri - gi-dum, Fo-ve quod est

fri - gi-dum, Re-ge quod est de-vi-um. Da tu-is fi-de-li-bus, In te con -

fi-den-ti-bus, sa-crum sep-te-na-ri-um. Da vir-tu-tis me-ri-tum, Da sa-lu -

tis ex - i - tum, Da per-en-ne gau-di-um.

DE PROFUNDIS
Ofertorio

Arr.: F. JAVIER LARA

MODO II

De pro-fun – dis cla-ma – vi ad te

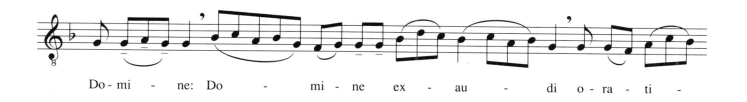

Do - mi – ne: Do – mi - ne ex - au – di o - ra - ti –

o – nem me- am:

de pro-fun – dis cla-

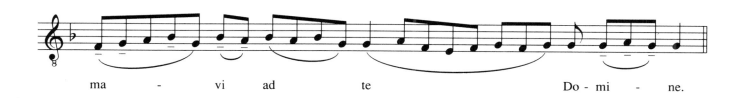

ma – vi ad te Do - mi – ne.

41

SALVE REGINA

Antífonia Solemne

Arr.: F. JAVIER LARA

MODO I

Sal - ve, Re - gi - na, ma - ter mi - se - ri - cor - di - ae:

Vi - ta, dul - ce - do, et spes no - stra, sal - ve.

Ad te cla - ma - mus, ex - su - les, fi - li - i He - vae.

Ad te sus - pi - ra - mus, ge - men - tes et flen - tes in hac la - cri - ma -

tum val - le. E - ia er - go, Ad - vo - ca - ta no - stra, il - los tu -

os mi - se - ri - cor - des o - cu - los ad nos con - ver - te.

Et Je - sum, be - ne - di - ctum fru - ctum ve - ntris tu -

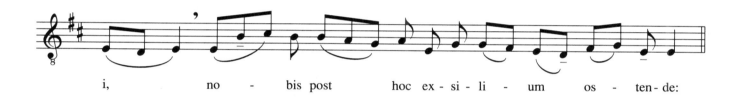

i, no - bis post hoc ex - si - li - um os - ten - de:

O cle - mens: O pi - a:

O dul - cis Vir - go Ma - rí - a.

KYRIE XI A
Orbis Factor

Arr.: F. JAVIER LARA

MODO I

Ky - ri - e e - le - i - son. **bis**

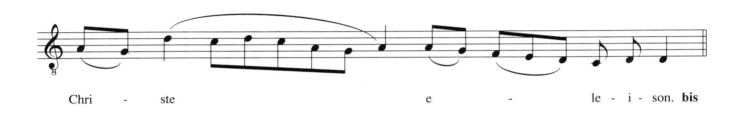

Chri - ste e - le - i - son. **bis**

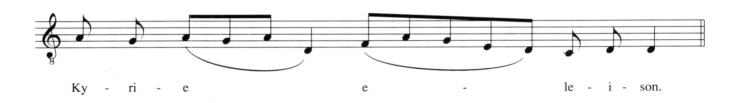

Ky - ri - e e - le - i - son.

Ky - ri - e e - le - i - son.

SALVE, FESTA DIES

Arr.: F. JAVIER LARA

MODO IV

Sal - ve, fe - sta di - es, to - to ve - ne - ra - bi - lis

ae - vo, Qua De - us in - fer - num vi - cit et as - tra te - net.

1. Ec - ce re - nas - cen - tis tes - ta - tur gra - ti - a mun - di

om - ni - a cum Do - mi - no do - na re - dis - se su - o. Salve ...

2. Nam - que tri - um - phan - ti post tri - sti - a tar - ta - ra Chri - sto

Un - di - que fron - de ne - mus, gra - mi - na flo - re fa - vent. Salve ...

3. Ful - gen - tes a - ni - mas ve - stis quo - que can - di - da si - gnat,

et gre - ge de ni - ve - o gau - di - a pas - tor ha - bet. Salve ...

PUER NATUS IN BETHLEHEM

Arr.: F. JAVIER LARA

MODO I

1. Pu - er na - tus in Be - thle - hem, al - le - lu - ia: Un - de

gau - det Ie - ru - sa - lem, al - le - lu - ia, al - le - lu - ia.

R/. In cor - dis iu - bi - lo Chri - stum na - tum a - do - re - mus,

cum no - vo can - ti - co.

2. Assumpsit carnem Filius, alleluia,
   Dei Patris altissimus, alleluia, alleluia.
   R/. In cordis ...

3. In hoc natali gaudio, alleluia,
   BENEDICAMUS DOMINO, alleluia, alleluia.
   R/. In cordis ...

4. Laudetur sancta Trinitas, alleluia,
   DEO dicamus GRATIAS, alleluia, alleluia.
   R/. In cordis ...

DIES SANCTIFICATUS
Alleluia

Arr.: F. JAVIER LARA

MODO II

FIN

Al-le - lu - ia.

V/. Di - es san - cti - fi - ca - tus il - lu - xit

no – bis: ve –

ni - te gen - tes, et a-do- ra- te Do-mi - num: qui-a ho –

di - e descen - dit lux ma–

gna su - per ter - ram. Alleluia ...

CHRISTE, REDEMPTOR OMNIUM

Himno

Arr.: F. JAVIER LARA

MODO I

1. Chri- ste, re- dem- ptor om- ni – um, ex Pa- tre, Pa- tris U – ni – ce,

so – lus an – te prin – ci – pi – um na – tus i – nef – fa – bi – li – ter.

2. Tu lumen, tu splendor Patris,
   Tu spes perennis omnium:
   intende quas fundunt preces
   tui per orbem famuli.

3. Memento salutis Auctor,
   quod nostri quondam corporis,
   ex illibata Virgine
   nascendo, formam sumpseris.

4. Sic praesens testatur dies,
   currens per anni circulum,
   quod solus a sede Patris
   mundi salus adveneris.

5. Hunc caelum, terra, hunc mare,
   hunc omne quod in eis est,
   auctorem adventus tui
   laudans exsultat cantico.

6. Nos quoque qui sancto tuo
   redempti sanguine sumus,
   ob diem natalis tui
   hymnum novum concinimus.

7. Gloria tibi Domine,
   qui natus est de Virgine,
   cum Patre et Sancto Spiritu,
   in sempiterna saecula. Amen.

CHRISTUS NATUS
Invitatorio

Arr.: F. JAVIER LARA

MODO IV

Chri - stus na - tus est no - bis:

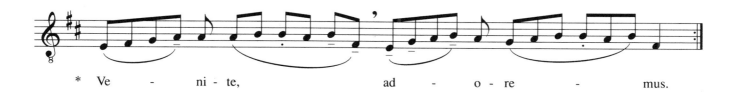

* Ve - ni - te, ad - o - re - mus.

1. Ve - ni - te, ex - sul - te - mus Do - mi - no, iu - bi - le - mus

De - o, sa - lu - ta - ri nos - tro prae - o - cu - pe - mus fa -

ci - em e - ius in con - fes - si - o - ne, et in

psal - mis iu - bi - le - mus e - i. Christus ...

2. Quo - ni - am De - us ma - gnus Do - mi - nus, et Rex ma –

gnus su - per om - nes de - os: quo - ni - am non re - pel - let Do –

mi - nus ple - bem su - am: qui - a in ma - nu e - ius sunt om –

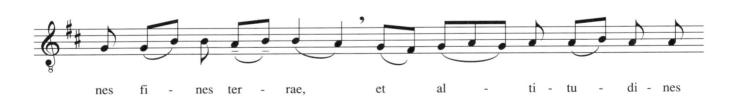

nes fi - nes ter - rae, et al - ti - tu - di - nes

mon - ti - um ip - se con - spi - cit. Christus ...

VERBUM CARO

Responsorio

Arr.: F. JAVIER LARA

MODO VIII

Ver - bum ca - ro fa - ctum est

et ha - bi - ta - vit in

no - bis: * Et vi - di - mus glo - ri - am

e - us, glo - ri - am qua-si U - ni - ge - ni - ti

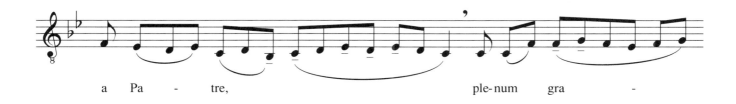

a Pa - tre, ple-num gra -

ti - ae et ve - ri - ta - tis.

V/. In prin - ci - pi - o e - rat Ver - bum, et Ver - bum e - rat a -

pud De - um, et De - us e - rat Ver - bum.

* Et vi - dimus...**V/.**Glo - ri - a Pa - tri, et

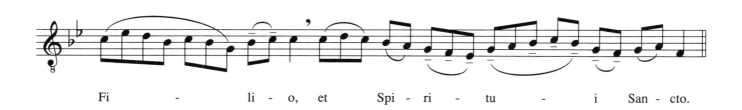

Fi - li - o, et Spi - ri - tu - i San - cto.

* Et vi - di - mus...

HOSANNA FILIO DAVID

Antífonia

Arr.: F. JAVIER LARA

MODO VII

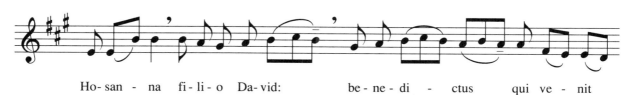

Ho - san - na fi - li - o Da- vid: be - ne - di - ctus qui ve - nit

in no - mi - ne Do - mi - ni. Rex Is - ra - ël:

Ho - san - na in ex - cel - sis.

PUERI HEBRAEORUM PORTANTES

Antífonia

Arr.: F. JAVIER LARA

MODO I

Pu - e - ri He - brae - o - rum, por - tan - tes ra - mos o - li - va - rum, ob - vi - a - ve - runt

Do - mi - no, cla - man - tes et di - cen - tes: "Ho - san - na in ex - cel - sis".

1. Do - mi - ni est ter - ra et ple - ni - tu - do e - ius, *

or - bis ter - ra - rum et qui ha - bi - tant in e - o.   Ant. Pueri.

2. Qui - a ip - se su - per ma - ri - a fun - da - vit e - um, *

et su - per flu - mi - na fir - ma - vit e - um.   Ant. Pueri.

54

IMPROPERIUM
Ofertorio

Arr.: F. JAVIER LARA

MODO VIII

Im - pro - pe - ri - um ex - spe - cta - vit cor me - um, et mi - se - ri - am: et su - sti - nu - i qui si - mul con - tri - sta - re - tur, et non fu - it: con - so - lan - tem me quae - si - vi, et non non in - ve - ni: et de - de - runt in e - scam me - am fel, et in si - ti me - a po - ta - ve - runt me a - ce - to.

TRADITOR AUTEM

Antífonia

Arr.: F. JAVIER LARA

MODO I

Tra - di - tor au - tem de - dit e - is si - gnum, di - cens: Quem os -

cu - la - tus fu - e - ro, ip - se est, te - ne - te e - um.

1. Be - ne - dic - tus Do - mi - nus, De - us Is - ra - ël. *

Qui - a vi - si - ta - vit, et fe - cit re - dem - pti - o - nem ple - bis su - ae:

2. Et erexit cornu salutis nobis: *
in domo David, pueri sui.

3. Sicut locutus est per os sanctorum, *
qui a saeculo sunt prophetarum eius:

4. Salutem ex inimicis nostris, *
et de manu omnium qui oderunt nos:

5. Ad faciendam misericordiam cum patribus nostris: *
et memorari testamenti sui sancti.

6. Iusiurandum, quod iuravit ad Abraham, patrem nostrum, *
daturum se nobis:

7. Ut sine timore, de manu inimicorum nostrorum liberati, *
serviamus illi.

8. In sanctitate et iustitia coram ipso, *
omnibus diebus nostris.

9. Et tu, puer, propheta Altissimi vocaberis: *
praeibis enim ante faciem Domini parare vias eius.

10. Ad dandam scientiam salutis plebi eius: *
in remissionem peccatorum eorum:

11. Per viscera misericordiae Dei nostri: *
in quibus visitavit nos, oriens ex alto:

12. Illuminare his, qui in tenebris, et in umbra mortis sedent: *
ad dirigendos pedes nostros in viam pacis.

13. Gloria Patri et Filio, *
et Spiritui Sancto.

14. Sicut erat in principio et nunc et semper, *
et in saecula saeculorum. Amen. Ant. Traditor autem.